快跑，云梯消防车！

穿过大楼，

呜——呜——呜——

看到烟了！

是着火了吗？

3

4

不是着火。

是工厂烟囱里的烟。

继续向前跑！

呜——呜——呜——

6

快跑，云梯消防车！
呜——呜——呜——
穿过城市，
呜——呜——呜——
看到烟了！
是着火了吗？

7

8

不是着火，
是澡堂烟囱里的烟。
继续向前跑！
呜——呜——呜——

蔬菜店

快跑，云梯消防车！

呜——呜——呜——

越过河流，

呜——呜——呜——

看到烟了！

是着火了吗？

不是着火，
是篝火的烟。
继续向前跑！
呜——呜——呜——

13

快跑，云梯消防车！
呜——呜——呜——
穿过树林，
呜——呜——呜——
看到烟了！
是着火了吗？

那不是烟，

是飘在天上的白云。

继续向前跑！

呜——呜——呜——

快跑，云梯消防车！
呜——呜——呜——
赶到出事现场了。
呜——呜——呜——

18

19

梯子伸开了，

嗖，嗖，嗖。

继续往上伸，

嗖，嗖，嗖。

继续往上伸，继续往上伸……

梯子伸到树上，
抓下来一只小猫。
小猫爬上高高的大树，下不来了。
不是着火。